Pour Andréa Nève

La citation dans le texte est extraite de
Max et les Maximonstres de Maurice Sendak,
album paru à *l'école des loisirs*

ISBN 978-2-211-04253-6
Première édition dans la collection *lutin poche* : janvier 1998
© 1996, l'école des loisirs, Paris
Loi numéro 49 956 du 16 juillet 1949 sur les publications
destinées à la jeunesse : septembre 1996
Dépôt légal : février 2016
Imprimé en France par I.M.E. à Baume-les-Dames

Mario Ramos

Au lit, petit monstre !

Pastel
les lutins de l'école des loisirs
11, rue de Sèvres, Paris 6ᵉ

« Au lit, petit monstre !
Attends un peu que je t'attrape… »

« Du calme, petit monstre,
sinon Papa va se fâcher ! Tu entends ? »
« Pas à bras ! »
«Bon, je te dépose. Tu fais un bisou
à Maman et puis on monte, d'accord ? »

« Pas bisou Maman ! »
« Alors, c'est Maman qui te fait
un gros bisou.
Bonne nuit, mon petit cœur ! »

« On donne toujours un bisou
pour dire bonne nuit. »
« Non ! »
« Je te préviens, petit monstre,
tu ne redescends plus ! Allez, au lit… »
« À bras. »

« Oh non ! C'est dégoûtant ça !
Je t'ai déjà dit mille fois
que c'est une brosse à dents et pas
une brosse à robinet. »

« Alors, il vient ce caca ? Si tu traînes,
je n'aurai pas le temps de te lire un livre…
Bon, c'est fini ? Enfin !
Allez, file dans ta chambre,
petit monstre ! »

« Attention ! Tu vas tomber !
Encore celui-là ?
Tu choisis toujours le même… Ce soir,
c'est Papa qui choisit un livre, oui ? »
« Non ! »
« Ah, bon. »

« Viens à côté de moi et calme-toi.
Après, on fait dodo… *Un soir Max enfila
son costume de loup. Il fit une bêtise,
puis une autre…* Voilà. C'est fini !
Au lit, mon petit monstre chéri. »

« Ah non ! Je vais me fâcher ! Le lit,
c'est pour dormir, pas pour danser la samba. »

« J'ai soif ! »

« Encore un truc pour traîner !
Tu as assez bu comme ça… »

« Aaaaargh ! Je meurs de soif ! »

« Bon, ça va. Je vais te chercher un verre d'eau. »

« Ne bois pas pendant une heure…
il est tard : j'aimerais bien que tu dormes
un peu cette nuit ! »
« Bisou Maman ! »
« C'est pas vrai, je rêve ! Il n'en est pas
question ! Tu sais très bien qu'il fallait faire
un bisou quand tu étais encore en bas…
Tu es vraiment un petit monstre ! »

« Maintenant, tu fermes tes petits yeux et tu fais un gros dodo jusqu'à demain. Bonne nuit, mon petit cœur ! »